Loi n°49-956 du 16 juillet 1949 sur les publications destinées
à la jeunesse, modifiée par la loi n°2011-525 du 17 mai 2011.
© 2010 Éditions NATHAN, SEJER, 25 avenue Pierre de Coubertin, 75013 Paris.
© 2014 Éditions NATHAN, SEJER, pour la présente édition
ISBN : 978-2-09-255182-0
ISSN : 2274-5904
Achevé d'imprimer en mars 2018 par Pollina, Luçon, France - 84345
N° d'éditeur : 10244791
Dépôt légal : février 2014

Le football

Texte de **Jean-Michel Billioud**
Illustrations de **Buster Bone**

Un sport pour tous

Le football est le sport le plus pratiqué au monde : on peut y jouer où on veut et avec qui on veut. Il faut juste avoir un ballon et de quoi faire des buts !

Qui peut jouer au football ?

Tout le monde : les grands, les petits, les garçons et les filles. À partir de 6 ans, on peut aussi s'inscrire dans un club !

À quoi sert le sifflet ?

À arbitrer, c'est-à-dire à signaler les fautes. Ce n'est pas obligatoire quand on s'amuse avec des copains mais ça peut permettre d'éviter les disputes !

Doit-on toujours jouer sur une pelouse ?

Pas du tout. On peut faire un match dans une cour d'école, sur la plage, dans un jardin… Il faut simplement un endroit assez grand et plat.

Comment sont faits les buts ?

Les vrais buts sont toujours blancs, en bois ou en métal. Mais entre copains on peut utiliser des pulls, des sacs... Pour marquer un point, il faut envoyer le ballon dans le but adverse !

Les jeux avec un ballon sont-ils anciens ?

Oui ! Il y a plus de 2 200 ans, les Chinois s'amusaient à s'envoyer une sorte de ballon avec les pieds. Les Romains ont aussi inventé un jeu où il fallait amener une balle dans le camp adverse sur un terrain rectangulaire.

Qui a inventé le football ?

Les 11 premières règles du football que nous connaissons aujourd'hui ont été écrites en Angleterre en 1863. D'ailleurs, « football » vient des mots anglais *foot* et *ball* qui signifient « pied » et « ballon » !

Combien faut-il de joueurs ?

Pour les matchs officiels, il y en a 11 dans chaque équipe. Mais pour s'amuser, on peut jouer à 2 contre 2 !

Cherche dans l'image !

un sac à dos

un oiseau

un pull

Un vrai métier !

Footballeur, c'est un métier ! Et il n'y a pas de grands joueurs sans entraînement. Il faut s'exercer pendant des heures et des heures quand on est professionnel.

Comment s'entraînent les joueurs ?
Ils jonglent, tirent dans les buts, se font des passes...

Ces joueurs sont-ils payés ?
Oui, les meilleurs sont même très riches car les clubs leur proposent beaucoup d'argent pour les engager.

Combien y a-t-il d'entraîneurs?

Il y a un entraîneur principal qui est souvent aidé par des assistants. Il y en a même un qui ne s'occupe que du gardien de but !

Qui s'occupe de la pelouse?

Un jardinier. Il vérifie que la pelouse est bien tondue pour que le ballon roule facilement.

À quel âge peut-on être professionnel?

En général, à partir de 18 ans. Mais certains footballeurs ont commencé leur carrière à 15 ans !

L'entraînement est-il un jeu?

Non. Pour ces joueurs, le football est une passion, mais c'est aussi leur métier et ils le font très sérieusement.

À quoi sert l'entraîneur?

Il organise les exercices, donne des conseils aux joueurs et choisit ceux qui vont former l'équipe pour chaque match !

Cherche dans l'image!

un sac de ballons

un plot jaune

une casquette

Allez les Bleus !

Les grandes équipes ont beaucoup de supporters, qui sont prêts à faire de longs voyages pour soutenir les joueurs lors des matchs importants.

Pourquoi voyagent-ils en car ?
Parce que certains matchs ont lieu dans des villes ou des pays éloignés. La route peut être longue, mais les supporters chantent pour ne pas s'ennuyer !

TOUS AVEC LES BLEUS

Les supporters sont-ils toujours des hommes ?
Pas du tout. Les femmes sont de plus en plus nombreuses dans les stades. Il y a aussi beaucoup d'enfants.

Les supporters sont-ils importants pour leur équipe ?

Bien sûr. Ils applaudissent les joueurs quand ils marquent des buts et ils les encouragent quand ils sont en difficulté.

À quoi servent les banderoles ?

À adresser un message aux joueurs de l'équipe. On les voit de loin !

Y a-t-il des bagarres entre supporters ?

Cela arrive, mais heureusement c'est rare. Les vrais supporters applaudissent même les joueurs adverses quand ils marquent de beaux buts.

Pourquoi sont-ils tous habillés en bleu ?

Parce que c'est la couleur de leur équipe. Certains sont maquillés, d'autres portent le maillot de leur joueur préféré !

Cherche dans l'image !

un chapeau

une trompette

un tambourin

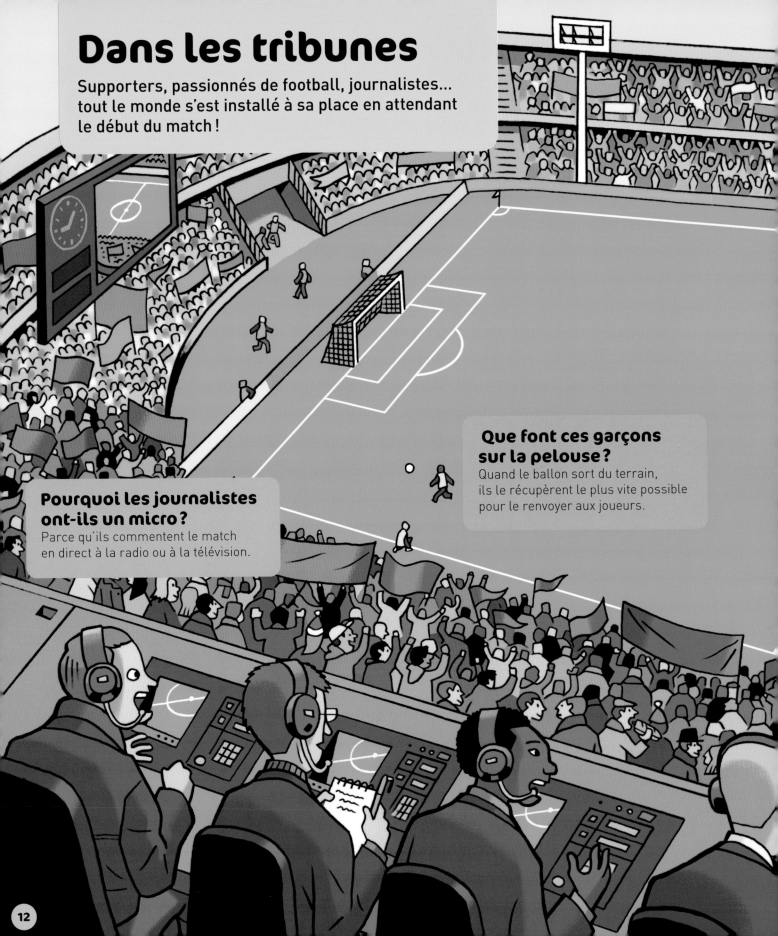

Dans les tribunes

Supporters, passionnés de football, journalistes... tout le monde s'est installé à sa place en attendant le début du match !

Que font ces garçons sur la pelouse ?

Quand le ballon sort du terrain, ils le récupèrent le plus vite possible pour le renvoyer aux joueurs.

Pourquoi les journalistes ont-ils un micro ?

Parce qu'ils commentent le match en direct à la radio ou à la télévision.

Comment est éclairé un stade aussi grand ?
Grâce à d'immenses projecteurs. C'est important car beaucoup de rencontres ont lieu le soir.

Pourquoi interroge-t-on les joueurs ?
Pour écrire des articles, il faut être rapide car le match peut se terminer tard et le journal doit paraître le lendemain. Il faut vite interviewer les joueurs, écrire les articles et les illustrer avec des photos.

Faut-il acheter un ticket pour voir le match ?
Oui ! Les matchs dans les grands stades sont payants, mais on peut aussi assister gratuitement à des matchs de clubs moins importants.

Où peut-on acheter à manger ?
À la buvette. Les supporters peuvent boire et manger des sandwichs pendant le match.

Qui commente le match ?
Souvent d'anciens footballeurs, car ils connaissent très bien ce sport et peuvent décrire les actions des joueurs.

Cherche dans l'image !

un stylo

un tambour

une horloge

Bien équipés !

Avant de rentrer sur le terrain, les joueurs se mettent en tenue. Maillot, short, chaussettes... ils portent les couleurs de leur équipe de la tête aux pieds !

Quel est l'équipement du footballeur ?

Pour un match de compétition, le règlement oblige à porter un maillot avec des manches, un short, des protège-tibias, des chaussettes et des chaussures.

Pourquoi ce joueur a-t-il un maillot gris ?

Parce que c'est le gardien de but. Il doit porter des couleurs différentes de celles des autres joueurs et des arbitres.

À quoi sert le numéro sur le maillot ?

À reconnaître les joueurs de loin. Il correspond parfois à un poste : le 1, c'est souvent le goal, par exemple. La plupart des footballeurs portent aussi leur nom sur leur maillot.

À quoi servent les crampons ?

Ils sont indispensables pour ne pas glisser sur l'herbe. Ils sont vérifiés au début du match par l'arbitre car des crampons trop pointus pourraient être dangereux.

Pourquoi y a-t-il des noms de marques sur les maillots ?

Des sociétés donnent de l'argent au club et, en échange, leur nom est imprimé sur les maillots pour être connu des spectateurs.

Comment est fabriqué le ballon ?

Pour les matchs officiels, il est en cuir ou en plastique. Les premiers ballons étaient des vessies de porcs gonflées ou des peaux bourrées de paille ou de sciure.

Comment les joueurs se protègent-ils ?

En plus des protège-tibias, certains joueurs portent parfois un casque, un masque pour le visage, des genouillères ou des coudières.

Cherche dans l'image !

le maillot n°10

des crampons

les gants du gardien

Avant le match

Attention, prêts... le match va bientôt commencer !
Avant le coup d'envoi, les joueurs des deux équipes sont
très concentrés. Mais d'abord, un peu de musique...

Que font les spectateurs ?
Ils chantent très fort pour montrer
à leur équipe qu'ils vont la soutenir
pendant tout le match.

Pourquoi y a-t-il des musiciens ?
Pour jouer les hymnes, les chants officiels
de chaque pays. Ils restent seulement quelques
minutes sur le terrain. Après, place au football !

Comment reconnaît-on
le capitaine de l'équipe ?
Il a un brassard autour du bras. C'est
le seul joueur qui a le droit de parler
à l'arbitre quand il y a un problème.

Comment choisit-on qui va commencer?

On joue à « pile ou face »! Le gagnant a le droit de choisir le côté du terrain sur lequel il veut jouer la première mi-temps, ou alors il peut décider de donner le coup d'envoi.

Où est la coupe?

Au début du match, elle est souvent placée dans la tribune près des présidents de la République ou des rois des pays qui se rencontrent.

Quelles sont les principales zones du terrain?

1 **La surface de réparation** où le gardien peut utiliser ses mains.
2 **Le rond central** où on commence les deux mi-temps.
3 **La ligne médiane** qui sépare le terrain en deux.

Combien de temps dure le match?

Le match se compose de deux mi-temps de 45 minutes. Elles sont prolongées par les arrêts de jeu qui compensent le temps perdu lors des remplacements, par exemple.

Cherche dans l'image!

la coupe

un tuba

une caméra

C'est parti !

Le match a commencé ! Tous les joueurs sont en place sur l'immense rectangle vert. Les deux équipes vont donner le meilleur d'elles-mêmes pour gagner.

C'est quoi, une stratégie ?

C'est une tactique de jeu décidée par l'entraîneur. Il choisit le nombre d'attaquants et de défenseurs, donne des conseils pour s'approcher du but...

Où est l'entraîneur ?

Sur le banc de touche, avec les remplaçants. Il crie des conseils pendant le match et organise les remplacements.

Comment appelle-t-on les lignes autour du terrain ?

Les deux plus longues sont les lignes de touche. Les deux plus courtes sont les lignes de but.

Quelques actions

Petit pont : faire passer la balle entre les jambes de son adversaire puis la récupérer.

Corner : coup de pied tiré d'un des coins du terrain. Il est accordé quand un défenseur adverse envoie le ballon derrière sa ligne de but.

Tacle : action permettant de récupérer le ballon en se jetant dans les pieds de l'adversaire sans le toucher.

Reprise de volée : tirer dans le ballon avant qu'il ne touche le sol.

Où sont les défenseurs ?

Ils sont placés près de leur gardien de but car ils doivent le protéger des attaques de l'équipe adverse.

Qui sont les attaquants ?

Ce sont les joueurs qui sont chargés de marquer les buts.

Cherche dans l'image !

un goal

un drapeau de corner

un bonnet

Monsieur l'arbitre

L'arbitre fait appliquer les règles sur le terrain. Il doit prendre des décisions rapides et savoir se faire respecter.

Qu'a fait le joueur en bleu ?

Il a fait un croche-pied à son adversaire pour lui prendre le ballon. C'est strictement interdit par le règlement !

Que signifie le carton rouge ?

Il indique qu'un joueur est expulsé. Il ne faut pas qu'il y en ait trop car le match s'arrête si une équipe a moins de 7 joueurs !

Combien y a-t-il d'arbitres ?

Pour les matchs importants, il y a un arbitre central, deux arbitres assistants et un quatrième qui surveille les remplacements.

L'arbitre est-il toujours en noir ?

Non. Autrefois, il était forcément habillé en noir mais aujourd'hui il faut simplement que son maillot ne soit pas de la même couleur que ceux des joueurs.

Quelques fautes

Croche-pied : faire tomber un adversaire volontairement en lui bloquant les jambes.

Main : toucher le ballon avec la main. Seul le gardien est autorisé à le faire.

Hors-jeu : quand un joueur se trouve plus près de la ligne de but adversaire que le dernier défenseur au départ du ballon.

Que fait le médecin ?

Il s'occupe immédiatement du joueur blessé. Il y a un médecin par équipe, qui se tient prêt à intervenir pendant tout le match.

Que se passe-t-il si un joueur est blessé ?

L'entraîneur choisit quelqu'un d'autre pour le remplacer. Le joueur qui sort ne peut plus participer au match.

Cherche dans l'image !

un sifflet

une trousse de médicaments

un protège-tibia

21

Une petite pause

Après la première mi-temps, les joueurs se rendent dans les vestiaires pour se détendre, discuter et se préparer pour la seconde moitié du match.

Que fait l'entraîneur ?

Il présente aux joueurs la stratégie qu'il a imaginée pour gagner le match. Pendant la première mi-temps, il a bien étudié le jeu de l'équipe adverse !

Les vestiaires sont-ils grands ?

Ça dépend de la taille des stades. Dans certains, il y a une petite piscine intérieure et plusieurs pièces pour chaque équipe... mais c'est rare !

Où se trouvent les vestiaires ?

Sous les tribunes des spectateurs. Pour y arriver, les joueurs passent par une sortie spéciale, au bord du terrain.

Que font les joueurs ?

Ils se reposent : les plus fatigués pourront même être remplacés si l'entraîneur ou le médecin est d'accord.

Pourquoi certains joueurs sont-ils massés ?

Pour détendre leurs muscles avant de reprendre le match. Ils en ont besoin afin d'être en forme pendant la deuxième mi-temps.

Que font les arbitres pendant la mi-temps ?

Ils se reposent, comme les joueurs, car ils courent aussi beaucoup sur le terrain !

Pourquoi ce joueur se change-t-il ?

Parce que son maillot est mouillé ou déchiré. Le responsable des tenues de l'équipe lui donne un nouveau maillot avec son numéro.

Cherche dans l'image !

une paire de chaussettes

une boîte de pansements

une moitié d'orange

Penalty!

Quand un joueur fait une faute, l'arbitre siffle aussitôt et impose une sanction ! Il doit faire respecter le règlement.

Quand y a-t-il penalty ?

Lorsqu'un joueur fait une faute grave dans sa surface de réparation.

Pourquoi les autres joueurs se sont-ils éloignés ?

C'est la règle ! Ils doivent quitter la surface de réparation et rester derrière le point de penalty.

Qui tire le penalty ?

Un joueur de l'équipe contre laquelle la faute a été commise. Cela peut même être le gardien de but !

Le penalty a-t-il toujours existé ?

Presque. Cette sanction a été inventée en 1891 par un Irlandais... qui était gardien de but !

Le gardien peut-il arrêter le penalty ?

Bien sûr. C'est sa mission ! Mais arrêter un penalty est vraiment très difficile.

D'où tire-t-on un penalty ?

Du point de réparation, ou point de penalty, situé à 11 mètres du milieu de la ligne de but et à égale distance des montants de but.

Point de penalty

Où est le gardien au moment du tir ?

Il doit rester sur sa ligne de but, face au tireur. Il n'a pas le droit d'en bouger avant le tir.

Cherche dans l'image !

un ballon

un carnet

un fanion

25

On a gagné !

La match a été serré, mais les Bleus ont gagné, 2 buts à 1 ! Pour les joueurs et tous leurs supporters, c'est le moment de faire la fête.

Que font les vainqueurs ?
Ils font un tour d'honneur pour fêter leur victoire et saluer leurs supporters.

Qu'arrive-t-il s'il y a égalité à la fin du match ?
Si c'est une finale, il y a deux prolongations de 15 minutes. Et si personne ne marque, les équipes se départagent aux tirs au but !

Qui reçoit la coupe ?
Le capitaine. Quand il la soulève, tous les supporters applaudissent ! Ensuite, il la passe à ses coéquipiers.

Que se passe-t-il après le match?

Souvent, les vainqueurs dînent ensemble, puis ils vont danser pour célébrer leur victoire. Ils retrouvent parfois leurs supporters !

Tous les pays participent-ils à la Coupe du monde?

Non. Il y a des matchs de sélection entre deux Coupes du monde pour décider qui va y participer. Depuis 1988, 32 pays s'affrontent tous les quatre ans en phase finale !

Quel pays a gagné le plus de Coupes du monde?

Le Brésil. Avant la Coupe du monde 2010, ce pays a remporté 5 fois cette épreuve : en 1958, 1962, 1970, 1994 et 2002. Un record difficile à battre !

Pourquoi ce vainqueur porte-t-il un maillot rouge?

Parce qu'il a échangé son maillot avec le joueur de l'autre équipe qui occupait le même poste que lui. C'est une tradition à la fin des matchs.

Cherche dans l'image !

le brassart du capitaine

un micro

une médaille

x

Qu'est-ce qu'une panenka ?

Une action inventée par le joueur tchèque Antonín Panenka, en 1976.
Il a fait semblant de tirer très fort un penalty et au dernier moment,
quand le gardien a plongé, il a envoyé le ballon tout doucement au milieu !

Qui est le roi du football ?

C'est le Brésilien Pelé, le meilleur joueur
de tous les temps. Il est le seul à avoir
remporté 3 Coupes du monde.

Pourquoi fait-on plus de têtes aujourd'hui qu'aux débuts du football ?

Parce que les premiers ballons avaient des lacets comme
ceux des chaussures : les joueurs qui osaient faire des têtes
pouvaient se blesser !

Qui a marqué le plus de buts en Coupe du monde?

Le Brésilien Ronaldo a marqué 15 buts en 3 compétitions : 4 en 1998, 8 en 2002 et 3 en 2006. Mais le Français Just Fontaine détient le record sur une compétition : il a marqué 13 buts pendant la Coupe du monde 1958 !

Qui a été le plus rapide pour marquer un but en Coupe du monde?

C'est le Turc Hakan Sukur qui a inscrit un but à la onzième seconde du match Corée du Sud - Turquie en 2002.

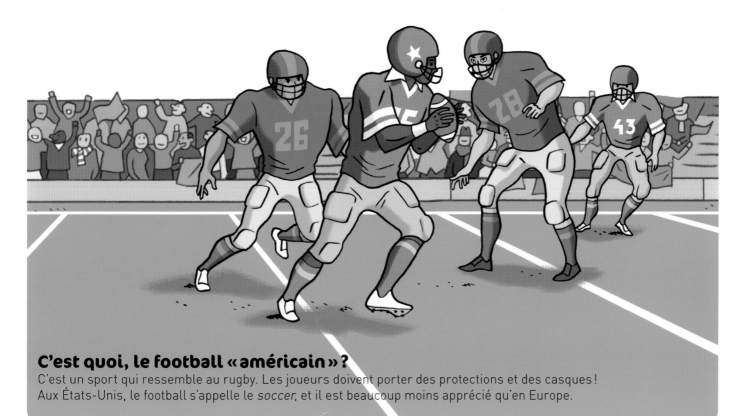

C'est quoi, le football «américain»?

C'est un sport qui ressemble au rugby. Les joueurs doivent porter des protections et des casques ! Aux États-Unis, le football s'appelle le *soccer*, et il est beaucoup moins apprécié qu'en Europe.